PHIL
ET LE CROCODILE

Claude MORAND est née au printemps 1932. Écrit des histoires à lire, à jouer, à danser. Aime passionnément la population enfantine de sa planète...

Loi n° 49 956 du 16 juillet 1949 sur les publications destinées à la jeunesse : octobre 1994.

© 1979, éditions Nathan.

ISBN 2-266-06306-5

Claude MORAND

Phil
et le crocodile

Illustrations de
J.-M. Barthélemy

NATHAN

Phil ↑

et le

crocodile

BARTHÉLÉMY

CHAPITRE PREMIER

PORTRAIT DE PHIL

Phil était un petit garçon très myope. Il était obligé de porter des lunettes à grosse monture, des lunettes qui transforment le regard.

Une fois, sa mère le surprit le nez collé contre la glace de la salle de bains. Le petit garçon sursauta quand il entendit sa mère s'exclamer :

— Phil ! Qu'est-ce que tu fais ?

— J'essaie de voir mes yeux...

— Sans lunettes ?

— Oui, sans lunettes.

— Tu as de très beaux yeux !

Phil haussa les épaules et sentit, bêtement, des larmes couler.

— Ils sont comme des petits pois à travers ces lunettes. Tout le monde se moque de moi.

— Mais non, Phil, crois-moi. Tu as tout simplement de grands yeux, tantôt gris, tantôt bleus, selon ton humeur... Tiens, en ce moment, ils sont bleu marine ! Superbes.

Phil remit ses lunettes et les oublia un moment. Mais il se souvenait toujours de sa première consultation chez l'oculiste... Il était tout jeune et déjà pas très costaud (plus tard il apprit dans un livre la signification des mots « chétif » et « malingre »), et le médecin lui avait été immédiatement antipathique.

« Nous allons donc examiner ce tout petit bonhomme ! »

Après l'examen, Phil l'écouta dire, sans bien comprendre :

« Il devra porter des verres spéciaux toute sa vie. »

Depuis ce jour, il avait aussi appris à avoir mal... Ces verres très épais sur les bords nécessitaient une monture très lourde. Et, le soir, il se frottait vigoureusement le nez pour effacer les marques et la douleur.

Quand il alla à l'école maternelle, les autres enfants restèrent mal à l'aise devant lui. Il fut exclu des jeux de ballon et de cache-cache-courir, car il protégeait toujours ses yeux.

« Attention aux lunettes de Phil ! » criait la maîtresse.

Et, bien sûr, les enfants tentaient sournoisement de les lui arracher. Mais Phil, malgré la rage au bout de ses poings, refusait la bagarre.

Alors les autres s'écartaient de lui, le laissant seul.

Phil demeura, pendant son passage à l'école maternelle, un petit garçon taciturne. Il ne s'intéressa qu'aux activités solitaires : pâtes à modeler, dessin et puzzle...

C'est durant les vacances qui précédèrent son entrée à « la grande école » qu'il passa les meilleurs et les pires moments de sa vie.

— Phil, dit sa mère, un soir, est-ce que tu serais content d'avoir une petite sœur ou un petit frère ?

D'émotion, il renversa sa mousse au chocolat sur le tapis. Il imagina tout de suite un frère, parce qu'une sœur c'était vraiment trop invraisemblable ! Alors, devant ses parents qui paraissaient intimidés, il se mit à sauter, à rire, à crier :

— Un autre ! Un autre ! Tout pareil à moi ! Quand ?

— Vers Noël...

— C'est quand Noël ? C'est encore loin ?

— C'est dans six mois, Phil, tu le sais très bien, voyons...

Il commença à attendre, échafaudant des projets, inventant des jeux, allant jusqu'à interroger d'autres enfants sur la plage...

— Dis, ça fait quoi, d'avoir un petit frère ?

— Quelle barbe ! Faut s'en occuper ! Et s'il fait des bêtises, c'est toi qui prends ! C'est toujours de ta faute !

— Avec moi ça sera différent, c'est sûr !

— Tu parles, souligna une petite fille, moi j'ai des jumeaux ! Deux à la fois ! C'est pire que tout...

Phil n'avait jamais pensé à cette éventualité. Aussi, avant de s'endormir, il se racontait toujours le « coup des jumeaux »... Cela ne le terrifiait pas, cela lui faisait même plaisir.

... Jusqu'au matin où son père le réveilla pour lui apprendre que sa mère devait aller à l'hôpital. Il n'y aurait pas de bébé à Noël. Plus tard non plus.

— Elle ne pourra plus jamais avoir d'autre enfant. Il faudra être très très gentil avec elle, Phil.

Le petit garçon écouta toutes les explications, mais se sentit encore plus seul.

Il cessa de jouer. À la fin des vacances, la perspective de passer dans « la grande

école » l'intéressa vaguement. Ses parents, aussi déçus que Phil, cessèrent de le houspiller sur son air grognon... Ils ne parlèrent plus librement devant lui. Et Phil, paradoxalement, préféra cette situation. Son père et sa mère, d'un côté, et lui tout seul, de l'autre.

Dès ce moment, il se fabriqua une drôle de paix.

Il commença à découvrir petit à petit l'arme absolue pour lutter contre un monde qu'il avait décidé de ne pas aimer : il rêvait.

Phil rêvait tout le jour, les yeux grands ouverts, comme deux flaques grises.

CHAPITRE II

PHIL DÎNE AVEC UN CROCODILE DONT IL AIME LE REGARD...

Phil habitait avec ses parents un appartement ultra-moderne, au quinzième étage d'une tour.

La nuit, ses rêves se transformaient toujours en cauchemars. Le plus souvent, il tombait du haut de sa tour, mais au lieu de s'écraser sur le trottoir comme il le craignait, il s'enfonçait dans du sable mouillé.

Cette nuit-là, Phil avait crié dans son sommeil. La sensation d'étouffement s'était dissipée avec le cri.

Maintenant, Phil contemplait avec ravissement un crocodile, debout sur sa queue, qui ôtait son chapeau devant lui.

— Pardon, jeune homme, pouvez-vous m'indiquer l'heure ?

— C'est la nuit, grogna Phil.

— Parfait. Connaissez-vous un restaurant ouvert la nuit ?

— Évidemment !

— Accepteriez-vous de vous asseoir à ma table ? Je vous invite à souper.

Phil tentait de mettre de l'ordre dans ses idées. Le ravissement avait fait place à l'inquiétude. Il avait menti en affirmant connaître un restaurant ouvert la nuit. De plus, il n'avait encore jamais dîné avec un crocodile... Celui-ci aimait-il le saucisson autant que lui ? Enfin, il ignorait s'il avait assez faim pour sortir de son lit tiède.

Le crocodile souriait avec une exquise politesse. Sans aucune impatience, il attendait la réponse de Phil.

— Comment êtes-vous entré dans ma chambre ?

— Le plus naturellement du monde...

— Euh, je dois m'habiller ! dit Phil.

Le crocodile tourna discrètement la tête, tandis que le petit garçon enfilait n'importe quoi, au hasard.

— Je suis prêt.

— Je vous précède, car je vois dans le noir.

— Je m'appelle Phil...

— Enchanté ! je suis le Crocodile.

Ils prirent l'ascenseur.

Dans la rue, le Crocodile marchait aux côtés de Phil, toujours droit sur sa queue et coiffé de son chapeau. Il avait l'air très satisfait.

— Il y a bien longtemps que je ne me suis senti aussi en forme, aussi bien dans ma peau de crocodile !

— Moi aussi ! souffla Phil, étonné de s'entendre prononcer ces mots.

— Voulez-vous être mon ami intime ? demanda soudain le Crocodile, en tournant son immense sourire vers le petit garçon.

— Je n'ai pas d'ami intime.

— Voulez-vous dire que vous êtes tout seul ?

— Je ne sais pas. Je sais seulement que je n'ai pas d'ami intime.

— Mais vous n'avez rien contre les crocodiles ?

— Non. J'aime votre regard.

Le premier restaurant dans lequel ils entrèrent leur convint. Ils y passèrent inaperçus. Personne ne leva la tête.

— Désirez-vous le menu ou la carte ? s'enquit un maître d'hôtel.

— La carte, s'il vous plaît. C'est la première fois que je dîne avec mon ami intime, ajouta le Crocodile.

Ils dînèrent. Le Crocodile mâchait avec application, afin de demeurer au même rythme que Phil. De son côté, Phil avalait tout tout rond pour ne pas retarder son ami. Au dessert, ils commandèrent des glaces... Cela n'exigea plus aucun effort de leur part, et tous deux achevèrent le repas, en même temps.

— Puis-je vous raccompagner ?

— J'ai peur de ne pas retrouver ma tour...

— Avez-vous peur du noir ? s'inquiéta le Crocodile.

— D'habitude, oui.

— Avec moi, vous n'aurez plus peur.

Arrivé devant sa tour, Phil se surprit à nouveau à prononcer ces paroles :

— Voulez-vous m'accompagner jusqu'à ma chambre ?

— Si cela ne vous contrarie pas, j'aimerais faire quelques pas dans la nuit, répondit simplement le Crocodile. Je vous quitte

ici, en vous souhaitant un excellent sommeil, ami !

Le Crocodile s'enfonça dans la nuit, tout raide sur sa queue, trottant des pattes arrière, le chapeau planté sur la tête.

Il était irrésistible, et Phil éclata de rire.

CHAPITRE III

UN CAUCHEMAR FAMILIER
QUI SE TERMINE TRÈS BIEN

Phil s'endormit aussitôt, mais pour peu de temps. Il se réveilla à moitié. Furieux, il mit sa tête sous le traversin pour essayer de poursuivre un rêve agréable, mais sombra immédiatement dans le cauchemar qu'il redoutait. Phil tombait, tombait, tombait... C'est alors qu'il sentit une patte fraîche sur son épaule. Il ouvrit instantanément les yeux.

— C'est vous ?

— Je suis arrivé au bon moment, n'est-ce pas ?

— Je tombais !

— En chute libre ?

— Oui. Comme une pierre.

— Et voilà : je suis venu.

— Vous allez rester ?

— Si vous le désirez.

— Que vont dire mes parents ?

— Ne craignez rien, je suis invisible.

— Sauf pour moi ? Sauf pour moi ? répéta Phil.

Le Crocodile inclina son interminable tête et lui sourit, complice.

CHAPITRE IV

LE CROCODILE
PART EN VACANCES AVEC PHIL

C'est ainsi que Phil rencontra son Crocodile et, depuis, ils vivent en parfaite harmonie. Phil lui raconte absolument tout. Il vient de passer de formidables vacances avec lui, au bord de la mer. Jamais ses parents n'ont été aussi satisfaits.

— Il se dégourdit, constate son père.
— Il ne s'ennuie plus, ajoute sa mère.

Mais comment s'ennuyer quand on se baigne chaque jour avec son ami intime ? songeait Phil. Comment s'ennuyer quand votre Crocodile invente des jeux rien que pour vous. Par exemple, le concours de grimaces. Le Crocodile gagnait toujours car il réussissait à la perfection « le crocodile édenté ». Phil avalait ses joues pour l'imiter et lorsque ses parents s'en apercevaient, il recevait une tape sur le nez.

— Cesse, Phil ! Tu es horrible quand tu fais ça ! criait sa mère.

— Ça va durer longtemps, ce cirque ? disait son père qui, subrepticement, faisait une affreuse grimace à son fils...

— Vous êtes deux mômes ! soupirait alors sa femme, partagée entre le rire et l'indignation.

Phil était heureux. Mais les vacances passaient à toute vitesse, et, même en jouant, Phil commençait à s'inquiéter de la rentrée.

Le Crocodile tentait de le distraire. Debout sur sa queue, et prenant de l'élan appuyé sur ses pattes arrière, il simulait un crocodile qui a avalé une toupie. Mais le plus souvent, c'est le Crocodile qui attrapait le fou rire, et pas Phil. Il haussait les épaules, agacé, tapant sur son ballon. Une fois, le Crocodile lui proposa de jouer « à la balle aux mots ».

— C'est difficile ?

— Mais non. Il faut crier un mot au moment où l'on touche le ballon. On y va ?

Phil, de toutes ses forces, lança le ballon sur son Crocodile qui le lui retourna d'une patte gracieuse, en criant :

— Diplodocus !

— ... Cactus !

— Cercopithèque !

— ... Bibliothèque !

— ... École !

— ... Ras-le-bol !

— Cœur !

— ... Peur !

— Tendre !

— ... Fendre !

— Raté !

— ... Taré !

— Amour !

— ... Au secours !

Et, sur ce dernier mot, Phil expédia le ballon dans la mer. Il le vit rebondir sur une vague, tout rouge dans une bulle d'écume. Aussi rouge que Phil l'était, lui, de fureur. Une autre vague s'en empara et le poussa au large, là où les vagues de haute mer cachent les ballons des enfants, pour jouer avec, entre deux marées.

Phil soupira.

— J'ai mal au cœur...

— Encore ? Vous avez le cafard ?

— C'est ça.

— Puis-je en connaître la raison, ami ?

— Comment allons-nous pouvoir vivre à Paris ? dit Phil, la voix étranglée.

— Mais... Je vais vous apprendre, bien sûr !

Phil respira plus librement. Ce fut comme si le rocher posé sur lui s'était soudain volatilisé.

CHAPITRE V

LA RENTRÉE !

Le retour de vacances avait eu lieu seulement quelques jours avant la rentrée de Phil à l'école. Le matin des matins arriva très vite...

— Vous semblez avoir les pattes coupées ! constata le Crocodile.

— J'ai peur. Je déteste la rentrée. Les autres vont encore m'appeler « Globule », et je n'aime pas ça !

— Ah ? J'ai beaucoup de respect pour les globules, répondit gravement son ami. Ils sont essentiels à tout organisme.

— Et je suis un organisme ?

— Exact. Un organisme que j'aime et qui m'importe.

— Vous savez tout, vous ? Vous comprenez tout ? Vous voyez tout ? hurla le petit garçon rageur.

— Non, non, je suis modeste. Je sens seulement... tout !

— Le grand tout ?

— Et des milliards de petits « tout » aussi ! affirma le Crocodile, une lueur de malice dans son regard vert.

Phil haussa les épaules et le quitta, le dos rond, comme si son cartable le tirait vers un destin sombre et douloureux.

— Les globules sont essentiels à tout organisme, et je suis un organisme..., se répétait-il.

Il courut jusqu'à l'école, pour se jeter plus vite dans le gouffre.

Devant l'école, il reconnut François, Pitou, Éric et Dorothée, la petite fille rousse qui le faisait tant souffrir avec ses plaisanteries venimeuses. Les trois garçons avaient terriblement grandi pendant les vacances, et Pitou le dominait d'une tête. Dorothée le salua :

— Salut ! À partir d'aujourd'hui, je t'appellerai « moustique » ! Globule, ça fait vieux jeu !

Elle lui adressa son plus intolérable

sourire. Puis les copains entrèrent dans l'école, ricanant et se poussant du coude.

« Je suis tranquille jusqu'à la récréation », pensa Phil.

Le premier cours de l'année commença pour lui comme pour les autres, sauf que personne ne remarqua qu'il avait des lunettes neuves.

Phil subit la journée sans broncher, et déjeuna au réfectoire, le plus loin possible de Dorothée.

Il rentra chez lui, en courant presque. Mais, comme d'habitude, ses parents n'étaient pas encore revenus de leur travail. Il trouva un album de bandes dessinées posé en évidence dans sa chambre. Il ôta ses lunettes et s'étendit à plat sur le dos. Peu à peu, il se souvint qu'il avait oublié quelqu'un...

— Peut-être que cette petite fille rousse est plus maladroite que méchante ? susurra le Crocodile à son oreille.

— Où êtes-vous ?

— Sous le traversin.

Phil souleva le traversin et découvrit le Crocodile couché sur le ventre.

— Vous êtes plus petit couché que debout !

— La petitesse ne me fait pas peur. Je suis plus concentré.

— Concentré ?

— Oui. Pour penser.

— Moi, je me sens toujours concentré. Comme de la sauce tomate.

Un bruit extraordinaire fit sursauter Phil. Une musique bizarre comme une scie électrique sur un chantier. Le Crocodile riait, les mâchoires fermées, et ses dents crissaient les unes contre les autres ! De grosses larmes de joie roulaient sur le lit. Il adorait les plaisanteries.

— À présent, vous savez tout sur les larmes de crocodile, ami.

Phil le quitta pour se passer la figure sous le robinet du lavabo. Dans la salle de bains, il croisa sa mère qui venait d'arriver.

— Tu as pleuré ?

— Pas du tout ! J'ai lu mon album. Très drôle. Merci.

— Tout s'est bien passé à l'école ?

— Ouais… J'ai retrouvé mes copains.

Le soir, pendant le dîner, Phil fut intarissable sur François, Éric, Pitou et Dorothée. Ah, quels bons copains ! Et marrants avec ça ! Ses parents, ravis et rassurés, l'encouragèrent :

— C'est une année dé-ci-si-ve pour toi. Tu verras, tout va marcher comme sur des roulettes. Travaille, mais n'oublie pas de t'amuser avec tes camarades. Tu ne dois plus faire bande à part.

CHAPITRE VI

ZAZA DÉBARQUE À L'ÉCOLE
ET DANS LA VIE DE PHIL

Le lendemain, François, Éric, Pitou et Dorothée attendaient Phil devant l'école. Il pensa que les ricanements allaient reprendre aussitôt mais, à sa grande surprise, les copains tournèrent la tête ailleurs. Aux côtés de Phil, une fille inconnue s'était arrêtée et contemplait l'école fixement. Elle était encore plus grande que Pitou, et plantée sur deux colonnes qui lui servaient de jambes.

— Tu veux visiter ? lança Pitou.

La fille tourna lentement vers lui un large visage attentif, sans répondre.

— Qu'est-ce que tu mets sur tes cheveux ? Du cirage ? dit Dorothée.

La fille avait des yeux sombres, aussi

luisants que ses cheveux et, pensa Phil, elle a les yeux « laqués ».

La fille expliqua simplement qu'elle avait une excuse pour ce retard de vingt-quatre heures à l'école. Elle était dans la classe de Phil et des autres. D'« inconnue », elle devint « la nouvelle » !

— Je te présente « Moustique » ! cria Dorothée, secouant ses boucles rousses en direction de Phil.

— C'est un ancien globule !

La fille tourna la tête et regarda Phil, ratatiné à l'écart, qui tripotait ses lunettes.

— Ils parlent de toi ?

— Oui.

— Je m'appelle Élisabeth, mais tu peux dire Zaza.

— Moi, c'est Philippe, mais on dit Phil.

— Ils t'embêtent souvent ?

— Je suis habitué.

— Ah oui ? Eh bien, pas moi ! trancha tranquillement Zaza.

Elle examina encore un moment la façade de l'école et murmura :

— Bon. Allons-y, et comme si elle venait de prendre une décision personnelle et grave, elle entra dans l'école, la tête haute. Les copains, médusés, chuchotaient, mais le groupe était dompté.

Phil la suivit.

— Tu manges au réfectoire, à midi ? demanda Phil.

— Oh non, j'ai du boulot qui m'attend chez ma mère. Au magasin, précisa Zaza.

— Quel magasin ?

— À la boutique. C'est l'épicerie de la rue Basset. Tu connais ?

— La toute petite, ouverte le dimanche ?

— C'est ça..., dit Zaza avec un sourire goguenard.

— Quand nous sommes à Paris, mes parents y vont parfois !

— Ah oui ? Eh bien, la prochaine fois, accompagne-les. Tu m'y trouveras. Je travaille aussi le dimanche...

En classe, les copains ne cessèrent de dévisager Zaza en dessous. Chaque coup d'œil lancé par Éric, Pitou ou François torturait Phil, qui se mettait à les fixer à son tour. Et ça marchait... Ils finissaient par détourner le regard.

Phil s'interdit tout l'après-midi de

regarder Zaza. Il la sentait vigilante, attentive au cours. Phil, désorienté, pensait que Zaza était la plus grande surprise de sa vie.

Il rentra chez lui, en courant presque. Il fallait qu'il parle à quelqu'un, à sa mère. Il avait la bouche pleine de Zaza !

Le Crocodile attendait l'ascenseur, déchiffrant gravement une inscription :

— L'usage de l'ascenseur est interdit aux enfants non accompagnés... Vous avez lu ? Heureusement que je suis là !

— Je ne suis plus un enfant !

— Oh pardon. Quel étage, jeune homme ?

— Au quinzième !

— Voyons, cinq plus cinq...

— Plus cinq !

— Bravo, dit le Crocodile qui appuya sur le bouton 15.

Mais, au quinzième, l'ascenseur marqua une hésitation, puis continua sa course bien après que Phil eut repéré le voyant lumineux indiquant le dernier étage de sa tour...

— À votre avis, nous allons jusqu'où, dit Phil, la voix blanche.

— À mon avis, nous voguons vers les pyramides d'Égypte.

— Mais je suis pressé !

— Nous y serons dans un instant. Patience.

— Mais je suis pressé d'être chez moi, moi !

— Moi aussi figurez-vous, répondit le Crocodile amusé.

L'ascenseur, enfin, s'arrêta, en ronronnant. Phil ouvrit la porte et contempla trois pyramides. Un flamant rose, nonchalant, passa devant lui, l'effleurant d'un coup d'aile. Phil fit deux pas sur un sable blond

et craquant comme une biscotte. Le soleil se couchait. Phil n'osa plus avancer. Il interrogea son ami du regard.

— Simple effet d'optique, rassurez-vous ! Si vous désirez prendre le couloir, c'est tout de suite à gauche.

Phil tourna la tête. Le couloir était bien là. Il suffisait de marcher encore un peu sur le sable tiède.

— Les rives du Nil..., murmura le Crocodile.

Phil enfila le couloir, très prudemment, abandonnant le Crocodile dans l'ascenseur, qui prit la direction du sud.

CHAPITRE VII

LES CONSÉQUENCES D'UNE FUGUE AU JARDIN DES PLANTES

Zaza continua d'exciter la curiosité de Phil jusqu'au jour où il osa lui proposer de l'accompagner chez elle, après la classe.

— Tu veux me faire un brin de conduite ?

— Je veux aller à l'épicerie avec toi, c'est possible ? Mes parents vont rentrer très tard et je suis tout seul à la maison.

— Veinard ! Et tu n'en profites pas ?

— Tu sais, la plupart du temps, je m'ennuie comme un rat mort !

— Ah dis donc ! s'exclama Zaza, j'aimerais bien avoir le temps de m'ennuyer !

— Qu'est-ce que tu ferais ?

— Des tas de choses. Je construirais

des trucs, des machins. Je lirais tes bandes dessinées ! ajouta Zaza en haussant les épaules. Si tu me les prêtes. Ou alors je rêverais, tout simplement.

Intimidé, Phil cherchait désespérément une idée, de quoi faire rêver Zaza. Il marchait, la tête basse, laissant traîner le dos de sa main sur les murs. Zaza, elle, dévisageait le ciel.

Puis elle entra brusquement dans une boulangerie. Phil l'attendit sur le trottoir, la gorge nouée. Il dut engloutir à la suite un petit pain, un croissant, un chausson, des biscuits, pour tenir compagnie à Zaza...

— Tu sais quoi ? Je n'ai plus du tout envie de rentrer chez moi, dit Zaza, rassasiée et jubilante.

— Mais, tes parents, l'épicerie ?

— Bof... Ils m'attendront sans se faire de souci.

Soudain, elle saisit Phil par la main et se mit à courir.

— Où vas-tu comme ça ? haletait le petit garçon à ses côtés.

— Ne parle pas ! Ménage ton souffle !

Zaza dévala les escaliers du métro.

— T'es dingue ! j'ai pas de ticket !

— J'en ai !

Zaza, flanquée de Phil, sauta dans la rame qui arrivait sur le quai.

Minuscule, coincé debout entre deux femmes énormes, Phil se sentait totalement perdu.

— Phil ? Où t'es ? cria la voix de Zaza.

Il leva un bras pour faire signe. Zaza progressa dans sa direction avec de sonores « pardon madame, pardon monsieur, je voudrais rejoindre mon copain », et tout autour les gens souriaient. Mais Phil se ratatinait de gêne, et quand Zaza le prit par les épaules, il crut qu'il allait s'évanouir.

— On descend à la prochaine ! claironna-t-elle.

Ils s'écrasèrent le nez sur la porte vitrée pour y laisser de grands ronds de buée.

Sur le quai, Zaza lui désigna le nom de la station : Jardin des plantes, en clamant :

— Tu sais lire ?

— Je connais, dit Phil.

— Moi aussi et j'adore ! Suis-moi, on va juste arriver pour le repas des fauves.

Ils se dirigèrent droit sur la fauverie et y pénétrèrent.

Les animaux tournaient follement dans leurs cages.

— C'est terrible ! dit Phil.

— Ils ont faim, c'est tout, lâcha Zaza, sans sourire.

Des guichets s'ouvrirent et des gardiens jetèrent d'horribles quartiers de viande. Un bruit de mastication collective — os broyés et viande déchirée — retentit de tous côtés. Phil sentit l'odeur du sang et détourna le regard. Il avait mal au cœur.

— C'est fini, dit Zaza, qui l'entraîna à l'air libre.

Dehors, ils se promenèrent devant les cages des oiseaux, mais en évitant celles des rapaces. Phil était sans réaction. Il pensait à Zaza, en classe. Elle mastiquait à intervalles réguliers. Au début, il avait cru à quelque bon vieux chewing-gum, de ceux que l'on colle sous le bureau, pour l'oublier et le redécouvrir avec jubilation. Il s'était mis à la surveiller. Zaza avalait en douce des tas de trucs, chocolat, bouts de fromage, gâteaux secs. Elle mangeait tout le temps. Et là, comme en classe, quand il la lorgnait en douce, il se sentit oppressé et coupable.

— Tu es fâché ?

— Non.

— Tu n'aimes pas les bêtes ?

— Si ! J'aime les bêtes !

— Alors, tu as peur de te faire disputer ? Tu m'as dit que tu étais seul, tes parents n'en sauront rien !

— Et les tiens ?

— T'en fais pas. C'est mon affaire. Je travaillerai le double demain.

Le soir même, Phil se tournait et se retournait dans son lit, incapable de s'endormir. Le Crocodile, somnolant sur l'armoire, poussa un soupir d'agacement.

— Qu'y a-t-il ? Le dîner ne passe pas ? Vous avez mal au cœur ?

— Vous n'avez jamais mal au cœur, vous ? grogna Phil, hargneux.

— Bien sûr que si ! Je deviens encore plus vert... C'est assez pénible.

— Zaza n'arrête pas de manger et n'est jamais malade !

— Zaza a sans doute besoin de manger.

— Tout le temps ?

— Oui. C'est comme une maladie.

— Zaza travaille très bien. C'est la plus forte en tout !

— Zaza est seule.

— Et moi ? Moi aussi je suis seul !

— Tout le monde n'a pas la chance d'avoir un crocodile…, répondit son ami en dégringolant de l'armoire.

Phil médita cette dernière phrase et se rappela soudain les paroles de sa mère : « Tu as été le bébé le plus difficile à nourrir du monde. Cela me rendait malade ! »

— Vous avez aussi rendu votre mère malade ?

— Quand j'étais petit, j'étais l'enfant-crocodile le plus contrariant du fleuve ! Je bâillais souvent, mais impossible d'avoir faim ! Je serrais les dents.

À ce souvenir, le Crocodile fit claquer ses immenses mâchoires et le petit garçon pouffa de rire.

— Il me vient une idée, dit le Crocodile songeur. Je pourrais rendre visite à Zaza.

— Jamais ! hurla Phil, épouvanté par la proposition.

— Devant votre refus, je n'insiste pas. Mais vous devriez lui manifester davantage votre sympathie, votre amitié.

— Mais comment ?

— Pourquoi ne pas faire les courses à

la petite épicerie ? C'est assez loin, mais Zaza serait peut-être contente !

Phil s'endormit, persuadé qu'il avait pris une grande décision : demain, il irait faire les courses à la petite épicerie.

Le lendemain, et beaucoup de lendemains ensuite, Phil alla à la petite épicerie. Zaza servait les clients, ou tenait la caisse, ou encore rangeait les marchandises dans l'étroite arrière-boutique. Elle remplaçait tantôt son père, tantôt sa mère avec une bonne humeur inaltérable. Mais Phil préférait bien sûr quand elle était seule.

— C'est moi la patronne ! Que désire monsieur ? clamait-elle, en l'apercevant.

Les clients semblaient l'aimer beaucoup, et Phil en était fier. Parfois, certains la taquinaient.

— Ça marche toujours l'appétit, Zaza ?

— On ne se laisse pas dépérir ! Ce qui compte c'est le moral !

— Ne t'en fais pas, ça passera avec l'âge.

Phil l'interrogea sur cette remarque. Il ne l'avait pas comprise.

— Bof... Ça doit vouloir dire que plus on travaille, plus on grandit, plus la graisse fond... expliqua Zaza. Et comme moi je travaille deux fois, je deviendrai un haricot vert à la fin de l'école !

— Quand tu seras grande, tu feras comme tes parents ?

— Sûr que non ! Plus tard je serai astronaute !

— Tu crois que c'est possible ? balbutiait Phil émerveillé.

— C'est une question de santé et il faut avoir les nerfs solides. Faut aussi être costaud en calcul, mais ça, je pense bien y arriver, non ?

Zaza était intelligente, Phil le constatait tous les jours. Et elle travaillait pour de vrai, en classe comme à l'épicerie.

Elle était bien mieux qu'une petite fille qui se goinfrait en cachette. Un jour, elle avait crié en pleine rue : « Par mes couettes ! Qu'est-ce que c'est chouette de vivre ! » Phil avait eu honte parce que des gens s'étaient retournés pour dévisager Zaza. Mais cette réflexion lui trottait dans la tête. Finalement Zaza existait, et c'était ça le plus important !

Mais, un samedi, Phil et ses parents étant restés à Paris, sa mère lui tendit en souriant une liste de courses à faire au supermarché.

— Pourquoi au supermarché ? s'indigna Phil. J'irai chez Zaza comme d'habitude !

— Non. Parce que Zaza ne vend pas ces produits. Et cesse de rechigner !

— C'est pas vrai ! On trouve tout chez Zaza !

— Phil, coupa sa mère, inutile d'insister. Tu iras au supermarché. Et ne boude pas !

Le petit garçon, hors de lui, arracha la liste et partit en faisant claquer derrière lui toutes les portes de l'appartement. Bam ! Bam ! Bam !

CHAPITRE VIII

PANIQUE AU SUPERMARCHÉ !

Phil entra en coup de vent dans l'immense magasin, plein de monde ce samedi après-midi. Tous ces gens lui paraissaient hostiles et laids. Il tomba en arrêt devant un rayon, rempli de boîtes géantes de jus de fruits étiquetées : « En direct d'Égypte ». Soudain, quelque chose de vert étira une patte au sommet de la pyramide de boîtes ! Le Crocodile, paresseusement allongé, lui fit un clin d'œil, en claquant discrètement les mâchoires.

— Descendez ! Vous allez tout faire tomber !

— Il y a un lac d'ananas tout près, le saviez-vous, ami ?

— On peut nager dedans ?

— Certainement, mais il est interdit d'y

faire pipi ! ajouta le Crocodile avec sa gueule la plus sévère.

Phil eut follement envie de nager dans le lac d'ananas. Il se hissa pour escalader la pyramide. Une centaine de boîtes roulèrent dans l'allée, dans un fracas épouvantable ! Phil resta accroché au casier métallique, qui oscillait dangereusement... Des gens criaient, se bousculaient, trébuchaient sur les boîtes.

Horrifié par l'ampleur des dégâts, Phil appela son crocodile à l'aide. Mais le Crocodile avait quitté les rives du lac et rampait, de rayon en rayon, hilare.

— Et maintenant qu'est-ce que je fais ? C'est vous le responsable ! Il faut me sortir de là !

Le Crocodile approchait d'une montagne de barils de lessive.

— Non ! Non ! hurla Phil.

Il se lança à la poursuite du Crocodile, sans entendre les inspecteurs, les clients, les caissières du supermarché qui vociféraient tous :

— Il va tout casser !

— Ce môme est dingue !

— Gare aux gloutons ! cria un gamin, étranglé de rire, alors que Phil se tenait en équilibre sur une muraille d'enzymes bleues.

Trop tard ! Les barils se fracassèrent sur le sol où, éventrés, ils laissèrent échapper un tapis de poudre granulée. Au même moment, le petit garçon saisissait le Crocodile par une patte.

— Assez ! Je vous ordonne de vous rendre si vous êtes un crocodile !

— Un crocodile meurt mais ne se rend pas !

— Salaud !

— Pourquoi vous fâcher tout rouge ? Par-delà la mer minérale, par-delà la neige des enzymes, il existe un océan de limonade où vous pourrez nager, et même faire pipi dedans.

Hélas ! Le Crocodile dégagea sa patte et heurta par inadvertance un gigantesque casier de limonade, qui éclata à l'atterrissage !

La lessive engloutit le liquide. Une mousse gazeuse envahit le supermarché.

Phil, affolé, n'osait plus faire un geste. Les clameurs de protestation lui tournaient la tête, l'étourdissaient.

— Arrêtez-le c'est un Arabe !

— C'est un Noir !

— Non, un Jaune... ou un Peau-Rouge !

— Allons, c'est un Breton !

— Un grand garçon !

— Non, un tout petit !

— Un p'tit gros !

— Un terroriste ! Qui va payer les dégâts ?

— Y'avait aussi un crocodile..., murmura un tout petit enfant.

— Tu veux une claque ? cria sa mère, excédée.

— Appelez les pompiers !

— Ouvrez les issues de secours !

Phil avait le vertige, il allait tomber au beau milieu de cette foule antipathique, quand il se sentit fermement saisi par deux pattes puissantes. Le Crocodile l'emportait loin de sa peur, lui murmurait à l'oreille :

— Faites-moi confiance. Je connais une sortie de secours, secrète, inconnue, invisible. Et je crois bien, ajouta le Crocodile sournois, que c'est la dernière fois que nous venons faire les courses ici !

Le petit garçon se faufila jusqu'à une porte de service qui donnait sur une ruelle déserte. Il était seul. Son ami intime avait disparu.

CHAPITRE IX

ENCORE UN MAUVAIS RÊVE

Phil retourna chez lui, en faisant un grand détour. Il sautait à cloche-pied, de pavé en pavé, chantonnant :

— Un pavé pour moi ! Un pavé pour le Crocodile ! Un pavé pour Zaza !

Devant sa tour, Phil aperçut sa mère au milieu d'un groupe gesticulant. Elle écoutait une histoire invraisemblable de supermarché, ravagé par un enfant.

Phil déglutit avec peine, il avait une sale boule coincée dans la gorge. Les jambes coupées, il osa s'approcher du groupe.

Sa mère lui sourit et l'entraîna dans l'ascenseur.

— Tu as vu quelque chose, toi ?

— On m'a empêché d'entrer. Je n'ai

pas pu faire tes courses. Je peux aller chez Zaza ? souffla-t-il, en baissant les yeux.

— Non, j'ai une meilleure idée ! Ce soir, nous irons au restaurant ! Ça te fait plaisir ? Tu adores le restaurant, Phil !

Ce fut le dîner le plus pénible de sa vie. Chaque plat lui rappelait un rayon du super-marché ! Au dessert, toujours pour lui faire plaisir, on lui commanda une gigantesque bombe glacée couverte de crème chantilly. Beurk ! Le petit garçon crut voir un sorbet aux enzymes et devint vert.

— Elle est amère ! dit-il en repoussant brusquement sa coupe.

— Tu es malade, Phil ? demanda son père.

— Je ne me sens pas très bien.

Ses parents n'insistèrent pas et l'emme-nèrent rapidement chez eux.

Phil, écœuré, se coucha et s'endormit aussitôt.

Il rêva de murailles abruptes, percées de trous. Il les escaladait pour voir ce qu'il y avait, derrière les trous. Mais les trous se remplissaient de briques. Il collait son oreille dessus et percevait comme une rumeur. Il parvint à distinguer des voix : celle du Crocodile bavardant avec Zaza !

Fou de rage et de jalousie, Phil grattait les briques pour les faire tomber. Très vite, il eut les mains écorchées.

— Écartez-vous ! cria le Crocodile. Ne touchez pas aux briques ! Nous essayons de vous délivrer !

— Je ne suis pas prisonnier ! hurla Phil. Je suis seulement du mauvais côté du monde !

— Attention ! C'est plein de moustiques ici ! l'avertit Zaza.

— Tique-tique-tique ! renchérit une voix nouvelle, qui ne pouvait être que celle de Dorothée.

Phil poussa de toutes ses forces sur une brique. Elle s'effrita sous sa main et il se retrouva submergé par un torrent de glace qui sentait l'ananas.

— Je nage ! Je nage ! constata Phil.

— Attends-nous ! cria encore Zaza, qui semblait être très loin.

Phil voulait nager à contre-courant pour rejoindre Zaza, mais le torrent l'emporta dans un tourbillon.

Il se réveilla comme on se noie, abruti, trempé de sueur.

Enfin le cauchemar prenait fin avec le jour. Il somnola jusqu'au moment où son réveil se déclencha. Il se leva, épuisé.

CHAPITRE X

BATAILLE À L'ÉCOLE :
ZAZA CHAMPIONNE DE JUDO

Dès son arrivée à l'école, il sentit le danger. François, Éric, Pitou et Dorothée lui barraient l'entrée. Ils formaient un mur de briques.

— Voilà le superman du supermarché !

— C'est la terreur du quartier ! ricana Éric.

Pitou lui donna négligemment une bourrade. Phil ne l'esquiva pas. Ses lunettes tombèrent sur le trottoir.

Phil, aveugle, bascula dans un monde fade et gris, dangereux. Paralysé de timidité, il ne comprit pas que c'était une blague, une plaisanterie lancée au hasard. Il se raidit, décidé à tout nier et, s'il le fallait, prêt à combattre. Les copains se déchaînèrent.

— Le moustique a mangé du lion !

— Il veut se battre, comme un grand ?

— Sans lunettes ce sera de la tarte !

Des élèves, reniflant la bonne bagarre, s'attroupaient autour d'eux. Et Phil avait peur car il ignorait d'où partirait le premier coup. Alors il fonça dans le tas, tête baissée.

— Salaud ! hurla Dorothée, qui avait juste eu le temps de l'esquiver.

— Il bat les filles ! clama Pitou, en s'écartant lui aussi.

— Laissez-le-moi ! cria Éric.

François l'encouragea.

— Sans lunettes, il ne vaut rien. Tu vas en faire une bouchée !

Soudain Zaza fendit le groupe des spectateurs à grands coups de coude.

— Qu'est-ce que tu lui veux, à Phil ? cria-t-elle menaçante, plantée devant Éric.

Son cartable atterrit sur les pieds du garçon, en signe de défi.

— Ôte-toi de là ! C'est une histoire de mecs.

— Un gros contre un petit, bravo ! Vous êtes bien, les mecs !

— Fais gaffe ma vieille, je suis champion de judo !

— Moi aussi, répondit calmement Zaza.

François et Pitou plaquèrent Phil contre un mur.

— Attention Zaza ! C'est un dur ! dit Phil, terrorisé.

— Ne t'en fais pas. Il va perdre le goût de son dernier chewing-gum !

Les deux adversaires se lançaient des regards meurtriers.

Éric fonça le premier. Zaza le bloqua d'une prise très correcte. Éric se recula très surpris.

— Fonce, fonce ! C'est qu'une fille !

Éric calcula son coup et fonça. Mais Zaza le plaqua à nouveau et l'envoya en vol plané un mètre plus loin. Dorothée se précipita à son secours en glapissant.

— T'as mal ?

— Partout ! avoua Éric, se relevant vacillant.

— En-core ! En-core ! criaient les copains ravis.

Éric rougit et lança :

— Allez-y donc, tas de mollusques ! Au prochain ! Je n'ai pas envie de me faire démolir par ce tank !

Les copains se dispersèrent prudemment.

Zaza et Phil restèrent seuls sur le champ de bataille, silencieux. Enfin Zaza pouffa de rire.

— Ça s'appelle gagner un match par abandon de l'adversaire ! Dis-moi, où sont tes lunettes ?

— Elles sont tombées, répondit Phil, honteux, la voix tout enrouée.

Zaza les retrouva, avec un verre cassé. Elle les lui posa sur le nez.

— Tu me vois ?

— D'un œil, je te vois très bien. Tu ressembles à Zaza. De l'autre, tu es complètement floue !

— Chic ! Alors je suis presque belle ?

Phil ne sut quoi répondre, et Zaza le prit par les épaules.

— Viens, ce n'est pas le moment d'être en retard en classe. Autant ne pas nous faire remarquer.

Chaque combattant ayant mesuré la force de l'autre, la paix régna en classe. Néanmoins, la bagarre avait été largement commentée. Un surveillant accrocha les trois « héros » à la récréation.

— J'ai fermé les yeux aujourd'hui, mais la prochaine fois, je convoque vos parents. Compris ?

Phil pâlit. Éric s'empourpra. Zaza afficha un air contrit dont l'hypocrisie échappa au surveillant...

En quittant l'école, elle lança un « salut » sonore et sans rancune à Éric, et serra ostensiblement la main de Phil. Puis elle partit à grandes enjambées, sans se retourner.

— Quel culot ! lança Dorothée.

— Laisse tomber, lui conseilla Éric.

Avec François et Pitou, il traversa la rue pour ne pas marcher sur le même trottoir que Phil.

CHAPITRE XI

LES FACÉTIES DU CROCODILE
EN WEEK-END

L'automne arriva très vite et Phil partait chaque week-end avec ses parents. Son père avait acheté une vieille ferme qu'il réparait et bricolait. Sa mère défrichait l'espace qui devait devenir un jardin, au prochain printemps.

— Tu vois, Phil, ici il y aura des narcisses, là des tulipes et là des roses.

Mais, tandis que sa mère énumérait les fleurs qui pousseraient à la place des orties, Phil avait le cœur serré. Il pensait à Zaza, qui passait ces jours-là sans courir dans les bois, sans voir le soleil.

— À quoi penses-tu Phil ?

— À rien, maman.

— Fais quelque chose ! Va aider ton

père. Ou alors va prendre l'air dans le bois. Je n'aime pas te voir comme ça, désœuvré !

Alors Phil enfourchait son vélo et filait jusqu'à l'orée du bois. Il s'allongeait dans l'herbe la plus épaisse, celle qui ressemblait à une grosse frange. Parfois, un claquement de mâchoires le tirait de sa rêverie.

— Pardon jeune homme, c'est encore loin, la rive ?

— Où êtes-vous ?

— Je nage. Des algues bleues me caressent les écailles.

Le petit garçon fixait attentivement le champ de luzerne.

— C'est encore loin, la rive ? répéta le Crocodile dont la voix tombait soudain du ciel.

— Où êtes-vous donc ? dit Phil très agacé, incapable de localiser son ami intime. Cessez de jouer à cache-cache !

— Je vole. Les nuages glissent sur mon dos. Attention ! Je crois que je vais pleuvoir.

— Vous pouvez pleuvoir ?

— Je peux neiger aussi ! Levez le bout du nez, ami !

Soudain, un coup de vent secoua le bois

de bouleaux, et Phil, la tête renversée, reçut des flocons plein les yeux.

Parfois encore, quand Phil s'ennuyait trop, le Crocodile entrait dans sa chambre, sur la pointe des pattes, et se cachait sur une poutre. Et quand Phil se déshabillait pour se coucher, le Crocodile signalait sa présence en battant l'air de sa queue.

— Pas de pyjama pour moi ? interrogea-t-il, d'une voix douceureuse et misérable.

— Vous ne pourriez même pas enfiler les manches !

— Quelque chose sans manches alors ?

— Une chemise de nuit ?

— Par exemple...

Phil cherchait dans son coffre à trésors, pour exhiber une chemise de nuit, donnée par sa mère pour se déguiser, une chemise en cotonnade verte brodée de liserons blancs...

Le Crocodile adorait se déguiser lui aussi. Il jouait au mannequin de mode, avançant à petits pas, balançant gracieusement sa queue et virevoltant.

— Brise du Nil ! annonçait-il sans rire. Parure pour soir de fête ! En cotonnade de Toutankhamon et liserons des Pyramides !

Mais Phil s'ennuya de plus en plus pendant le week-end. Il finit par se disputer avec son Crocodile, chaque dimanche après-midi. La dispute commençait toujours par d'amers reproches !

— Je vous ai attendu toute la journée !

— Une affaire urgente m'a retenu, expliquait le Crocodile avec un geste évasif de la patte.

— Quelle « affaire urgente » ? C'est moi l'affaire la plus urgente, non ?

Le Crocodile poussait d'énormes soupirs.

— Si vous saviez combien je suis désiré...

— Par qui ?

— Oh... Par des enfants noirs, jaunes, rouges, blancs comme vous !

— Je me fiche des autres ! Y'a que moi qui compte !

— Mais je suis là, n'est-ce pas ?

— Vous n'êtes pas TOUJOURS là ! Un jour vous m'abandonnerez, un jour vous me laisserez tout seul !

Le Crocodile attendait que la colère de Phil s'apaisât et se taisait. Le petit garçon, en gesticulant le bombardait avec tout ce qui lui tombait sous la main : bandes dessinées, livres, coussins, jouets, vieilles espadrilles...

Le Crocodile secouait ses écailles, éclatant de rire :

— Vous me chatouillez, ami.

Et Phil finissait par se calmer. Au dîner, il avait repris son visage d'enfant sage, apparemment placide.

Enfin ce fut le dernier dimanche passé à la campagne. Il fut tout occupé aux rangements de la maison. L'hiver était là, dans le jardin et dans la maison glaciale, qui resterait fermée jusqu'au prochain printemps. Phil était d'excellente humeur et sifflota toute la journée.

Il grimpa d'un bond à l'arrière de la voiture, qui démarra dans la nuit.

Soudain, Phil aperçut le Crocodile dans le faisceau des phares. Il se tenait droit, le chapeau sur la tête, sur le bas-côté de la route. Il faisait le signe des auto-stoppeurs de la patte gauche. Phil poussa une exclamation de surprise.

— Tu rêves ? demanda sa mère à voix basse.

— J'ai cru voir quelque chose...

— Quoi donc ? dit son père.

— Euh... un crocodile...

— Un crocodile ? Et il faisait de l'auto-stop sans doute ?

— Euh... oui. J'ai cru voir...

— Un crocodile. D'accord ! Allons rendors-toi. Si je l'aperçois, je te réveillerai, c'est promis.

Phil se rendormit, le sourire aux lèvres. Il tenait la patte fraîche de son ami intime, recroquevillé sur la banquette arrière.

CHAPITRE XII

LA MALADIE
ET L'ABSENCE DE ZAZA

Chaque jour, Phil arrivait en avance à l'école. Il avait rendez-vous avec Zaza pour bavarder quelques minutes sur le trottoir. Il lui racontait ses rêves, car Zaza prétendait qu'elle s'endormait sans penser à rien, « comme une bête », disait-elle en riant. Elle fermait les yeux et c'était tout. Quand son réveil sonnait, elle les ouvrait, et c'était tout. Le sommeil lui servait seulement à se défatiguer. Mais elle adorait les histoires que lui racontait Phil. Quand il était à court de rêves, Phil en inventait. Pour captiver encore plus l'attention de Zaza, il se lançait dans des histoires de plus en plus inimaginables... Plusieurs fois, il eut même envie de lui parler de son Crocodile. Mais il s'en empêchait toujours, au dernier moment.

Un matin, Phil l'attendit en vain, quand Dorothée l'aborda en ricanant.

— Le « tank » est en retard ?

— Idiote !

— Mais qu'est-ce que tu lui trouves ? insista Dorothée, en secouant ses boucles rousses. Elle est énorme ! Elle est moche ! Qu'est-ce que tu lui trouves de bien ?

— Ça ne te regarde pas. Tu es jalouse d'elle, c'est tout.

— Moi ? Moi, jalouse du « tank » ?

— Et méchante avec ça ! Laisse-moi tranquille.

Phil affrontait Dorothée pour la première fois. Il s'aperçut même qu'il y prenait plaisir. Il n'avait plus peur d'elle. Avec Dorothée sur les talons, il traversa la rue pour entrer à l'école. François, Éric et Pitou les avaient vus discuter.

— Vous vous racontiez quoi ? dit Éric.

— Rien ! jeta Dorothée, le regard noir.

— Je lui disais qu'elle était jalouse de Zaza, dit Phil.

— Quel crétin !

— Mais c'est vrai ! lança Éric.

— Tas de crétins ! cria Dorothée, se précipitant dans l'école.

Les quatre garçons s'esclaffèrent.

Dorothée bouda toute la journée, et Zaza ne mit pas les pieds à l'école.

De retour chez lui, complètement déprimé, Phil s'imagina orphelin. Il était abandonné en pleine guerre, dans les ruines d'une ville inconnue. Il était tout seul, perdu, éperdu.

La sonnerie du téléphone résonna, stridente, et l'arracha à sa stupeur. Il se précipita pour décrocher le combiné.

— Pardon, monsieur, est-ce que je peux parler à Philippe, s'il vous plaît ?

— Zaza, c'est toi ? cria-t-il d'une voix qui faisait des vagues entre des accents graves et suraigus.

— Phil, j'ai les oreillons !

— Ça fait mal ?

— Oui, et puis je suis affreuse ! Je suis tout enflée, j'ai une vraie tête d'œuf !

— Tu reviens quand ?

— Je ne sais pas. Quand je serai guérie.

— Je vais venir te voir !

— Non Phil, c'est contagieux. Le docteur a dit qu'il fallait que je sois isolée, sans voir personne d'autre que mes parents !

— Qu'est-ce que je vais devenir ? souffla le petit garçon.

— On se téléphonera, bien sûr !

— Oui, oui... Mais tu ne reviendras pas à l'école avant les vacances de Noël ?

— Je ne sais pas, Phil !

— Ah là là...

— Salut, Phil !

La communication fut coupée par Zaza, et Phil se retrouva stupide, le téléphone à la main.

Toute la soirée, il afficha une humeur épouvantable. Pendant le dîner, sa mère éclata :

— Assez, Phil ! Cesse de faire cette tête, ou alors dis-nous pourquoi !

Indigné, accablé par tant d'injustice, il prit son air buté, son air des pires jours ! Le monde entier se liguait contre lui, cela devenait insupportable.

— Allez, insista son père, dis-nous ce qui te contrarie.

Le petit garçon se ferma comme une huître et ne desserra pas les dents. Excédée, sa mère lui dit :

— On ne boude pas à table ! File dans ta chambre.

Il se leva d'un bond et courut s'enfermer dans sa chambre, en faisant claquer les portes. Bam ! Bam ! Bam !

Il tremblait de rage en arrachant son chandail. Il resta en sous-vêtement, grelottant de fureur. Son cœur battait encore à tout rompre lorsque la porte s'ouvrit. Son père entra dans la chambre. Il aurait voulu pouvoir l'étrangler, cet homme si grand qui portait une assiette.

— Tiens. Mange au moins un bout de fromage et un fruit. Et raconte-moi ce qui se passe.

Phil se rendit compte qu'il était affamé en dévorant le fromage. Il fut incapable de s'empêcher de pleurer.

— Du fromage aux larmes, ça doit être dégueulasse, dit son père, en faisant la grimace.

Phil hocha la tête. Cet homme n'était peut-être pas aussi mauvais que ça. Il se moucha.

— Zaza a les oreillons ! avoua-t-il.

— La pauvre !

— Elle est isolée !

— Bien sûr, les oreillons c'est contagieux.

— Je sais, murmura Phil.

— Et tu l'aimes fort, Zaza, n'est-ce pas ?

— C'est mon amie.

— C'est très bien, Phil. Il ne s'agit plus que d'avoir un peu de patience. Tu peux lui téléphoner.

— C'est pas pareil !

— J'avais pas le téléphone, moi, quand j'étais petit.

— Je veux pas entendre d'histoire de quand tu étais petit !

Son père lui frotta vigoureusement la tête et sortit de la chambre en disant simplement :

— À demain.

Quand il fut parti, Phil resta immobile sur son lit, les yeux ouverts. Il réfléchissait.

La silhouette du Crocodile, elle, se réfléchit dans la glace. Leurs regards se croisèrent dans le miroir. Et Phil, ragaillardi, se redressa.

— Vous allez mieux ? interrogea le Crocodile.

— Zaza me manque.

— Je sais cela. Voulez-vous que nous fassions un bout de rêve ensemble, pour vous changer les idées ?

— Oh oui ! s'écria Phil, ayant retrouvé toute sa vitalité.

— Avez-vous une idée pour commencer ?

— Zaza est guérie et je l'invite à la campagne !

— Dans votre maison ? Il y aurait du soleil ? De la pluie ? Du vent dans les arbres ?

— Il y aurait du vent, oui, mais tiède. Pas la tempête ! Et puis un réchaud pour lui faire du chocolat !

— Avec de la crème ?

— Et des tartines ! Et peut-être même un gros bout de fromage.

— Ce serait l'après-midi ?

— Non, ce serait un instant sans heure.

— Un moment ?

— C'est ça, un moment.

— Ce sera un rêve très agréable, ami ! murmura le Crocodile dont la voix s'éloignait.

Phil rêva son rêve.

Et le Crocodile, discrètement, s'en

échappa. Il laissa le petit garçon, seul avec Zaza, devant leur chocolat fumant.

À l'école, Dorothée profita de l'absence de Zaza pour tenter de séduire Phil. Toutes griffes rentrées, elle miaulait dans les couloirs en le suivant comme son ombre.

— Oh Phil, comprends-moi ! Je sais que je ne peux pas être meilleure qu'elle... Mais je suis quand même ton amie, dis ?

Phil, interdit, regardait la petite fille avec des yeux d'ailleurs, des yeux d'avant la rentrée. Comme il aurait aimé alors entendre ces mots-là ! Mais très vite, Phil haussait les épaules. Aujourd'hui, les simagrées de Dorothée l'étonnaient sans le convaincre.

Zaza était venue. Zaza était tombée malade. Il ne lui restait plus que le manque de Zaza, qui lui donnait parfois le vertige. Les copains aussi ressentaient ce manque, et aucune plaisanterie ne venait à bout du souvenir de Zaza.

L'humeur de Phil changea. Il devint batailleur et vindicatif. Après une bagarre qu'il provoqua, Phil comprit qu'il était jaloux.

Les copains commencèrent à se méfier de lui, puis l'évitèrent.

Dorothée aussi se lassa. Phil resta seul, avec un vide. Il se sentait creux à l'intérieur.

À la veille des vacances de Noël, il était désespéré. Il quittait Paris avec sa mère pour passer dix jours à la montagne. Il donna un dernier coup de téléphone à Zaza avant son départ.

— Je pars en vacances, commença-t-il d'une voix lugubre.

— Veinard !

— Dis pas ça ! J'ai pas envie de partir...

— T'es pas fou ? J'ai jamais été à la montagne, moi ! Paraît que c'est beau. Blanc mais beau !

— Je ne t'ai pas revue !

— C'est bête, hein ?

— Très bête.

— Ça va pas, Phil ?

— Je me sens comme avant l'orage !

— Eh bien, dis donc... T'as pas le moral pour un gars qui va faire du ski ! Va pas te casser une jambe !

— Non, non. Je vais t'écrire.

— Une vraie lettre ? Ça c'est formidable ! Alors je commence déjà à attendre ta lettre. Amuse-toi bien. Salut, Phil !

— Salut, Zaza !

Il raccrocha le téléphone et s'effondra sur le fauteuil, près de l'appareil. Il se sentait comme une tornade, un typhon, un tremblement de terre !

CHAPITRE XIII

PHIL ET LE CROCODILE À LA MONTAGNE

Dès son arrivée à la montagne, Phil se mit à tout critiquer. Il était tellement nerveux qu'il ressentait tout de travers. Le moniteur de ski l'avait pris en grippe, les autres enfants étaient idiots, la neige lui faisait mal aux yeux, le brouillard mal à la gorge, il était couvert de bleus à force de tomber, il ne saurait jamais faire du ski, qu'est-ce qu'on s'ennuie après le dîner, etc.

— Comme tu es injuste ! se plaignait sa mère. Regarde comme c'est beau. Respire l'oxygène, tu as une petite mine... Amuse-toi avec tes camarades ! Enfin, Phil, tu ne vas pas continuer à être grognon ? C'est insupportable à la longue !

Phil resta grognon.

Il déchira trois lettres destinées à Zaza. Il les trouvait stupides et tristes.

Un matin, pourtant, il se réveilla avec un peu de courage et décida de faire une petite descente facile, tout seul. Sa mère, soulagée, l'encouragea dans cette excellente disposition. Phil chaussa ses skis et attrapa le tire-fesses pour débutants. Il arriva sur une plate-forme d'où partait le grand remonte-pente qui grimpait tout en haut de la montagne.

Il y jeta un coup d'œil distrait, s'apprêtant à descendre la petite piste, lorsqu'il aperçut... son Crocodile !

Des skis au bout des pattes, un bonnet de laine rouge, l'air conquérant, il venait juste d'attraper la barre du grand remonte-pente.

— Hé ! Ohé ! cria Phil.

Son ami intime ne tourna même pas la tête, trop occupé à réussir cet exercice périlleux. Mais d'autres skieurs lui firent des signes amicaux.

— Ohé ! Ohé ! hurla Phil.

— Viens, petit ! N'aie pas peur !

Phil, tout en appelant son Crocodile, était arrivé au pied du remonte-pente. Sans réfléchir, le petit garçon accrocha la barre d'acier. Il grimpa la plus haute montagne de sa vie, à la poursuite d'un crocodile.

Loin devant lui, quelque chose de vert tenait bon la barre !

Derrière lui, le village devenait minuscule. Le ciel s'élargissait au-dessus de sa tête.

Phil entendit alors le silence, puis un vacarme bizarre : les battements de son cœur. Phil mourait de peur.

En lâchant la barre, au terminus, il tomba dans la neige fraîche et molle. Après un long moment, il frissonna puis s'ébroua. « Qu'est-ce qui m'a pris, pensa-t-il. Je n'oserai jamais redescendre ! » Mais il se releva, tourna ses skis vers la pente et s'engagea prudemment sur la grande piste. Près de lui, d'autres skieurs semblaient aussi paralysés que lui. Cela le rassura.

Un éclair vert le frôla. Alors Phil s'élança pour rejoindre le Crocodile qui dévalait la montagne. Au détour d'un virage, il vit une grande paire de skis croisés, plantés dans la neige.

Son ami intime était calé contre le tronc d'un sapin et l'attendait.

— Tout-tout est de votre faute ! bégaya Phil, hors d'haleine. Quand je vous ai vu prendre le remonte-pente !

— Moi ? Moi, sur un remonte-pente ? Vous avez beaucoup d'imagination, ami.

Phil déchaussa ses skis, furieux contre le Crocodile qui osait encore se moquer de lui. Il resta un moment silencieux.

— C'est beau, dit le Crocodile, vous ne trouvez pas ?

— Oui. C'est plus calme qu'en bas.

— N'est-ce pas ? Donc, vous avez vaincu votre peur.

— Vous n'étiez pas sur le remonte-pente ?

— Non. J'arrive à l'instant.

— D'où arrivez-vous ?

— Vous ne le croirez pas mais, il y a juste une heure, je remontais le Nil !

— À ma rencontre ?

Le Crocodile ne répondit pas.

— À ma rencontre ? répéta Phil.

— On doit bien réfléchir ici.

— Je vous avais perdu, articula le petit garçon.

— Mais non, vous m'aviez oublié ; c'est tout.

— J'étais tout seul !

— Je n'ai jamais été seul. J'ai commencé à vivre en troupeau !

— Je me sens un troupeau à moi tout seul ! protesta Phil.

Le Crocodile ne répondit pas.

— Je suis mal à l'aise, je suis malheureux, souffla le petit garçon d'une traite.

— Pourquoi ?

— Je ne sais pas !

— Alors cherchons à savoir. Souffrez-vous d'une petite fille rousse ?

— Non ! Vous faites semblant de ne pas comprendre !

— D'une autre petite fille ?

— Je souffre de Zaza ! jeta Phil, soulagé par cet aveu si difficile. J'ai mal, mais-je-ne-sais-pas-où-j'ai-mal-là !

— Ah bon. Dans ce cas vous avez du vague à l'âme.

— Et que dois-je faire ?

— Vivre.

D'émotion, Phil avala son chewing-gum.

Le Crocodile grimpa dans le sapin. Accroché à la plus haute branche, il faisait tomber la neige sur le petit garçon.

— Mon ami intime n'est pas fichu de

vivre ? ricana-t-il. Si on vous donne un gâteau, qu'est-ce que vous faites ?

— Je le mange !

— Vous n'avez jamais eu envie de le partager ?

Phil trouva une tablette de chocolat dans une poche d'anorak.

Sans rien dire, il en cassa un morceau et le tendit à son ami intime. Le Crocodile secoua la tête et refusa.

— Le chocolat me donne mal aux dents !

— Qu'est-ce que je peux partager avec Zaza ?

Le Crocodile ne répondit pas.

— J'aime bien bavarder avec vous..., murmura Phil.

Le Crocodile sursauta.

— Vous vous imaginez que nous bavardons, mais c'est absolument impossible !

— Impossible ? Pourquoi impossible ?

— Bien sûr. Je n'ai pas de langue. Je suis muet.

— C'est faux ! Vous dites ça pour me faire peur !

Le Crocodile entrouvrit les mâchoires et ses dents brillèrent sous un soleil blanc.

Il souriait d'un sourire d'un mètre de long. Phil sentit une sale petite boule dans sa gorge. Il était prêt à fondre en larmes. Le regard perdu, il cherchait à comprendre, loin, très profond en lui.

Ce fut un moment étrange, troublant. Et lorsque Phil tenta à nouveau de communiquer avec son Crocodile, celui-ci avait disparu. Sur la piste, un point vert fonçait vers le village.

— Attendez-moi !

Phil boucla les fixations de ses skis et, de deux coups de bâtons, il s'élança, rageur. Il descendit tout droit, ramassé comme un petit œuf, la tête rentrée dans les épaules.

Il s'arrêta net devant un homme, qui portait un anorak vert.

— Bravo, petit ! Je t'ai vu descendre. Toi au moins, tu n'as pas froid aux yeux !

Phil, interdit, ne regardait que l'anorak vert. Il fit un vague signe de tête à l'homme qui le portait.

Devant son hôtel, un groupe de gens stationnait. Tous faisaient de grands gestes et parlaient fort.

— Le voici ! cria un homme.

Le groupe s'écarta et une femme en

jaillit. Phil, ébloui par le soleil, reconnut sa mère quand elle fut devant lui.

« Elle a un regard bizarre, comme quand on a de la fièvre », pensa Phil. Elle l'accrocha aux épaules et le serra contre elle, à l'étouffer. Elle ne lui parlait pas.

Ensuite, tout alla très vite. Les gens les entourèrent. Ils hurlaient aux oreilles de Phil :

— Où étais-tu ?

— Ta mère était folle d'inquiétude !

— Tu es parti depuis des heures !

— On t'a vu sur la Piste noire !

— Oh m'man..., souffla le petit garçon qui voulait s'excuser.

Une gifle magistrale coupa court à son désir d'explication.

Phil repoussa sa mère avec ses poings.

Indigné, humilié, la rage au cœur, il hurla :

— Toi aussi ! Tu ne m'aimes pas ! Toi aussi !

Il ne sut jamais comment il arriva dans leur chambre, ni pourquoi il dévisageait sa mère comme s'il ne l'avait jamais vue ! Elle pleurait, secouée de gros sanglots, seule au milieu de la pièce sans même le voir. Elle

pleurait en tordant sa bouche, défigurée par un chagrin que Phil ne comprenait pas.

— M'man ! Oh m'man, arrête ! Écoute, j'ai pris le grand remonte-pente, c'est vrai ! Il fallait que je le fasse !

— Sans penser à moi ! articula sa mère, qui avait le regard de Phil soudainement, son regard des mauvais jours.

— Tu me ressembles, tu sais ? souffla le petit garçon, stupéfait, qui l'enlaça brusquement. Alors, tu m'aimes ?

Sa mère lui gratouilla la tête et lui souffla sur les yeux : c'est ce qu'il préférait. Plus tard, lorsqu'ils furent calmés, elle lui donna une lettre. Elle paraissait navrée de l'avoir oubliée.

« Phil, salut ! Tu sais la nouvelle ? Je suis guérie, j'ai grandi de cinq centimètres, les gâteaux me dégoûtent et j'ai plus faim. J'attendais quelque chose de toi mais j'ai rien eu. Cela ne fait rien, ça prouve que tu te marres drôlement ! Je t'attends pour la rentrée. Je te souhaite de bonnes vacances. Zaza. »

Le lendemain, Phil ressassait la petite

phrase de Zaza : « J'attendais quelque chose de toi et j'ai rien eu. »

Sa mère lui dit :

— Et si tu m'emmenais sur cette fameuse Piste noire ?

Phil la regarda, sidéré. Elle lui souriait.

— Tu n'auras pas peur ? répondit-il.

— On la descendra tout doucement.

— O.K. !

Les gens de l'hôtel ne firent aucun commentaire quand ils virent la maman de Phil, appuyée sur son fils, qui escaladait la piste pour attraper le grand remonte-pente.

Au terminus, ils tombèrent tous deux dans la neige. Phil se releva le premier et lui désigna le village, minuscule, dans la vallée.

— On va faire une étape à mi-chemin, ce sera moins dur pour toi !

Au détour du virage, Phil reconnut le sapin. Il déchaussa ses skis qu'il planta, croisés, dans la neige. Puis il se laissa tomber sous le sapin et contempla le ciel, silencieux.

Tout doucement, une idée s'infiltra en lui. L'idée se précisa, éclata, s'imposa. Comment n'y avait-il pas pensé plus tôt ?

Il soupira de satisfaction et sourit à sa

mère, à la neige, au sapin. Il allait envoyer quelque chose à Zaza : son Crocodile.

Ils descendirent ensuite la Piste noire, côte à côte, doucement, prudemment. Au bas de la descente, ils se congratulèrent chaleureusement.

— Tu es une vraie championne !

— Vous en êtes un autre ! répondit sa mère.

Elle lui donna de l'argent de poche, pour qu'il aille acheter un livre pour lui et des bandes dessinées, pour elle. Ils avaient bien mérité une récompense !

CHAPITRE XIV

PHIL DONNE SON CROCODILE !

À côté de la librairie-papeterie se trouvait la petite poste. Phil y entra, résolu. Il s'adressa à l'employé du deuxième guichet, celui des lettres et paquets recommandés.

— Je voudrais un renseignement, commença Phil.

— Quelle sorte de renseignement ? répondit un jeune homme, très bronzé, qui le regardait amicalement.

— Euh... pour un paquet.

— Oui ?

— C'est un crocodile...

— Tu veux l'expédier par le train ? Il prendra d'abord le car jusqu'à la gare.

— Bon, ça ira.

— Il est très gros ?

— Ça dépend...

— Tu ne pourrais pas le mettre dans une lettre ? Il voyagerait plus vite.

— Ça sera long ?

— À cette époque, il faut compter cinq jours. Tout le monde envoie des cadeaux pour le 1er Janvier ! Tu veux l'expédier où, ton crocodile ?

— À Paris.

— Il arrivera à temps, je te le garantis.

— Merci bien.

Phil allait sortir quand le jeune homme le rappela :

— Confie-le-moi, j'en prendrai le plus grand soin.

Phil entra dans la librairie-papeterie, mais n'y acheta pas de livre, seulement un cahier et de magnifiques crayons de couleur. Puis il se précipita dans la chambre d'hôtel qu'il partageait avec sa mère.

Là, pendant des heures, il dessina son Crocodile. Debout, assis, couché, avec et sans chapeau, à la mer, à la campagne, sur le remonte-pente, dans la neige, etc.

Sa mère jetait un coup d'œil de temps en temps.

— Elle est drôlement chouette, ta bande dessinée !

— C'est mon cadeau... pour Zaza.

Il termina son œuvre, en racontant minutieusement les aventures du Crocodile au supermarché.

Sa mère lui apporta une grande enveloppe brune.

Le jeune homme très bronzé était derrière son guichet. Il prit l'enveloppe pour la peser.

— 150 grammes de crocodile, pour mademoiselle Élisabeth Louvat, 12, rue Basset, 75015 Paris... Il arrivera, ne t'inquiète pas.

Phil sourit au jeune homme, reconnaissant tout à coup le frère qu'il aurait aimé avoir. Celui-ci timbra solennellement la lettre.

— La poste va fermer et je suis libre. Veux-tu boire quelque chose avec moi ? proposa-t-il au petit garçon.

— Je veux bien.

— Attends-moi dehors, j'arrive dans cinq minutes.

Ils s'installèrent devant deux laits-grenadine.

— Tu restes encore longtemps ? demanda le jeune homme.

— Encore une semaine, presque.

— Tu veux qu'on fasse une balade, samedi après-midi ?

— D'accord !

— Tu sais, ton crocodile me rappelle une histoire. Quand j'avais ton âge, j'ai eu un caméléon apprivoisé. Je l'ai offert à ma meilleure amie.

— Et après ?

— Après ? Rien. Je n'avais plus de caméléon.

— Ça a fait plaisir à ton amie ?

— C'était en Algérie. Je suis venu en France pour chercher du travail. J'y suis resté.

— Tu n'as jamais revu ton amie ?

— Non. Cela n'a pas d'importance. Quand je retournerai dans mon pays, je la chercherai.

— Mais elle sera peut-être partie, elle aussi ?

— Oui. Mais pour nous deux ce caméléon reste un formidable souvenir, j'en suis
sûr.

Dans le train qui roulait vers Paris, Phil
parla longuement de ce nouvel ami à sa
mère. Puis il s'étendit sur sa couchette. Il
se sentait bien dans sa peau. Depuis quelques jours, il avait l'impression qu'il pouvait sans doute, et même sûrement, vivre.
Sans crocodile.

BARTHÉLEMY

TABLE DES MATIÈRES

Achevé d'imprimer
par Maury-Eurolivres S.A.
45300 Manchecourt

Photocomposition :
TÉLÉ-COMPO - 61290 BIZOU

Dépôt légal : octobre 1994.